KB195852

못다 쓴 이별 편지

못다 쓴 이별 편지
박가을 제10집

초판 1쇄 인쇄 | 2022년 10월 20일
초판 1쇄 발행 | 2022년 10월 22일

지 은 이 | 박가을
펴 낸 이 | 박가을
펴 낸 곳 | 도서출판 뜨락에
표지그림 | 김병훈
편   집 | 세종 P&P
등록번호 | 제2015-000075호
등록일자 | 2015년 9월 3일
주   소 | 경기도 수원시 권선구 세권로 138번길 61 2층
전   화 | 031-223-1880
전자우편 | sinew2011@naver.com

ISBN 979-11-88839-17-9 03810

값 13,000원

* 이 책은 한국예술인복지재단 지원을 받아 제작되었습니다.

* 이 책은 전부 또는 일부 내용을 재사용하려면 반드시 저작권자와 뜨락에의
  동의를 받아야 합니다.

* 본문 페이지에서 한 연이 첫 번째 행에서 시작될 때에는 〈 표기를 합니다.

* 저자의 의도에 따라 작품의 보조 동사와 합성 명사는 띄어쓰기가 달라질
  수 있습니다.

못다 쓴 이별 편지

박가을 시집

 뜨락에

■ 발길을 멈추던 때

새벽을 여는 날은 미친 듯 분주하다.
시원한 가을바람이 한산하게 불어주면 울타리 옆 텃밭에 김
장 무의 이파리가 싱그럽다.
텃밭에 심은 채소처럼 글을 쓰면서 열매를 맺어야 겠다.
그러나 아직 더 깊고 많은 것들로 채우고 채우면 손에 잡히는
만큼 나눠주고 따끈한 아랫목에서 낮잠을 즐길 수 있을 것이
다.
정원이 딸린 집에서 그것도 이층 서재에서 책을 읽고 글을 쓰
며 창밖의 풍경을 바라보는 것만으로도 넉넉하리만큼 채웠다
싶다. 그러나 비워가며 내려놓은 연습은 그다지 달갑지 않지만
하는 일만큼 끊임없는 연습이 더 중요한 시점에 서 있다.

아직도 가는 길이 멀고 멀기에 구두끈을 풀지 못하는 나는 천
생 시인으로 살아가고 있다.
찬 서리가 머리에 내리는 날까지 멈추지 못할 것 같다.

2022. 10.

별빛산장에서 박가을

■ 차 례

1부 층층 계단에 서서

2부 짧은 키스 후 이별

3부 나는 허수아비

4부 못다 쓴 이별 편지

1부

층층 계단에 서서

아직도 가야 할 그 길

창 너머로 희미한 불빛이 보인다
누군가 나처럼 나무토막이 되고
철철 넘치는 바닷가 파도가 되고
날렵하게 공중을 나는
한 마리 새가 되고

뜨겁게 달궈진 여름날
아스팔트 길이 되어 새벽마다
이슬에 간신히 목을 축이는
들풀이 되고 후덥지근한 여름 열기에
깜박 속아서 빈둥거리는 백수가 되고

내가 머무는 동안
두 시간 전철을 타고서
여행객으로 최면을 걸듯
잠시 단잠을 청하는 취객처럼
지그시 눈을 감는 그런, 그런 연습을 가끔 한다
좁은 세상 아, 비좁은 세상아
구두끈을 풀지 마라
아직도 가야 할 그 길은 멀고 멀단다

인생길

1% 그리고
덤은 거저 가지고 가는 일이다
순도를 말하고 있지만
이 또한 덤을 삭혀서 모양을 다듬고
동그랗게 잰 각도를 뾰쪽하게 만들었다
무언의 답은 둔탁해진 모서리
반들거리도록 문지르고 문지르면
손때가 묻어서 흘린 눈물 자국이 된다
벌써 잊었다 해서 웃을 일일까
애써 외면한다고 울음 우는 일도 아닐진대
인생길도 정갈하게 깎으면 덤을 얻고
정성을 가득 담으면 티끌이 붙는다
어제는 밤밭에서 알밤을 거저 주었다
밤가시가 어깨에 덥석 하고 앉아버렸다
옷소매가 바람에 날아갔기에 독을 품었던 산山모기는
단련된 주둥이로 단내나던 살맛을 탐하고
멀리 떠났던 내님 품에서 곤하게 잠들었을 뿐이다

층층 계단에서

부둥켜안고 나눴던
뾰쪽한 입술을 탓할까
가시에 찔린 듯
선혈을 내뱉으며 웃어야 했다
덤으로 거저 얻어주는 일상에서
그 답을 얻어야 했다
무딘 세월 허허롭게 밤하늘
바람을 미워했지만
그건 2%
축 처진 어깨 위에
날아다녔던 구름이었다
춤이라도 한바탕 추어야겠다 내가
덩실덩실

새벽을 마시는 사람

사랑하라면 사랑하지요
그것이 당신의 유일한 대답인걸요
사랑하라면 사랑하겠습니다
그것이 당신이 원하는 유일한 길이라면
사랑하라면 사랑하지요
그것이 당신을 사랑하는 이유라면
사랑하라면 사랑하겠습니다
그것이 당신을 이해하는 사랑이라면
사랑하라면 사랑하지요
그것이 당신을 끝없이 사랑이란 품 안에서
사랑하라면 사랑하는 거지요
외로움이 시퍼런 비수보다 나은 것이라면
사랑이면 사랑하는 것인데
가슴은 시리도록 아파해도
그 사랑이 받고 싶어 사랑이 그립다지요
새벽을 마시는 사람은
그 사랑을 받고 싶어서입니다

방랑자의 숲

달콤한 허브차
그 향보다 그대 눈빛이 그립다
탄탄한 음색
소리꾼은 팔짱을 끼고
엘리베이터 버튼을 눌렀다

구멍 난 셔츠
어둔 곁밤이 고독하게 붉다
나는 방랑자다
가슴에 불을 댕겨놓았을 뿐
별빛도 흔적 없이 떠나갔다

간이 밴 간간한 입술
홀쭉해져서 나뭇가지 사이에 잠시 숨겨 놓았다
손톱 달그림자 보이는 듯
그만, 눈꺼풀이 날카롭다

가면을 쓴 두 시간

나는 빵 두 쪽을
널름거리며 입안으로 넘겼다
약속된 시간은 도망치듯이 빠듯하다
물 한 모금 싱겁게 목을 축이는 순간
행복한 나는 아마
세상에서 제일 못난 사내다

걸쭉한 입담도
너털거리는 몸짓도 서툰
그러나 나는 오늘 가면을 써야 했다

검은 도포를 입고
검은 중절모를 쓰고
준비된 각본을 받아들고
더듬거리며 몇 번을 읽고 외우면
나는 나를 다른 사람으로 둔갑해
역사 인물로 무대에 올랐다
계백장군
단 두 시간 동안만

38.7

열꽃이 그만, 멈춰주었다
허전했던 흔들림
물음은 긴장된 순간 답이 없다
별빛은 새벽 창을 열어놓고
비워둔 열정도
괄호 안의 숫자다
신열로 매섭던 바람까지
살며시 잠재웠다

쓰디쓴 입맛
그날처럼 파랗게 물든 심장
정답을 찾아 나선다
시간마다 조각된 이름
그대라서
늘 울렁거림뿐이다

가을 석양빛

더디게 거북이처럼
열정의 속도로 걷고 또 걸어야 했다
열병으로 울분을 토하며
아마 나 때문에 생긴 것 같다
손때 묻은 낡은 수첩을 꺼내 본다
긴 시간을
허우적거리며 달려왔던 지난날
케케묵은 먼지에 덮어있을 때
콸콸
수도꼭지에서 내뿜는 물세례를 줬다
살갑지 못해 투박한 못난 세월
그렇게 단단하게 굳어진 담벼락 뒤로
날렵하게 몸을 숨겨야 했다
네 가지 색깔 볼펜은 단잠을 자고 있다
빨갛게 퇴색된 가을 석양빛은 그렇다
붉은 가슴 꺼내 보일 수가 없어서
손가락으로만 동그랗게 원을 그렸다

나뭇가지 끝에 걸린 보름달

비좁은 창틈 사이로
흔들거리던 달빛
나뭇가지 끝에 매달아 놓은 듯
홍시처럼 붉게 익어가고 있다
둥근달이 뜨면
가슴 속에 매달린 추억을 더듬으며
그리워할 사람이 생각난다

바삐 사는 일상
세월의 훈장은 거울을 바라보는
내 모습도 어색하리만큼 변해가고 있다

무던히도 더웠던 지난 여름
테이프 커팅을 하는 순간
불쑥 내 앞에 나타났던 사람
나뭇가지 끝에 걸린 보름달처럼
달 속에서 수줍게 웃고 있다

세상 살아가는 이유

물줄기가 출렁거리며 넘칠 때도
앞만 바라보며 담담하게 건널 수가 있었다
흙탕물로 앞이 보이지 않을 때도
앞만 바라보며 당당하게 건넜다
때론, 마른강물을 첨벙하고 뛰어들며
아이들처럼 웃고 즐겁게 한때를 보냈다
비구름이 몰려오면
감기에 걸릴세라 다리 밑에 몸을 맡기기도 했다
햇볕이 환하게 비추어 주던 날
재래시장에서 달걀 한 판을 사서 구워도 먹었고
옛날 통닭으로 허기를 채울 때도 있었다
비틀거리며 세상을 방황할 때
두 어깨에 십자가 세워주기도 했다
값지게 살아가려고 진실되게 살고자
동분서주하며 돌다리를 성큼성큼 건넜다
잎새가 파릇하게 솟아오르는 봄날
캠퍼스 벤치에 앉아 꺼져가는 시어를 낚기도 했다
달빛에 별빛에 마음을 올려놓고 세상은 다 내 것이라
고래고래 노래를 부르기도 했다

사람들 틈을 헤집고 다니며 눈칫밥을 얻어먹으며
책갈피 속에 내 영혼을 몰래 감출 때가 많았다
한 해를 넘기며 글썽이며 눈물을 훔칠 즈음
그녀는 늘 곁에서 재잘거리며 아름다운 노랠 불러줬다
강물에 놓여있는 징검다리 계단이 높아서
돌다리를 넓게 만들어 건널 수 있게 주춤하는 순간
아, 눈시울이 뜨겁게 달아 올라왔다
두 발로 발가락에 힘을 주며 멈춤을 외칠 때
질긴 목숨 새벽녘에서야 눈을 감을 수 있었다
누굴 탓할까
넘실거리는 강물은 가슴까지 차오르고 있는데
오늘을 탓할까
내일을 탓할까
다 내려놓고 빈몸으로 떠나고 싶을 뿐이다

책장 가득한 봄날

바람도 뼈가 박힌
봄날
옷깃을 흔들고 있다
잠시 멈춰 섰던 골목
걸쭉한 대추차 맛을 봤던
황톳길이었다

잊을 수 없는
호숫가 근처를 가끔
책장 가득 책 무덤 줄거리가
나풀거렸던 찻집
눈 끝은
출입문을 애처롭게 두드렸지만
기다리던 사람은 없다
울고 싶은 홀쭉해진 봄
곁밤도 깊어만 간다

가짜는 거짓

소리를 내서
크게 불러봐라
그 외마디는
별빛에 속아 눈을 멀게 할 뿐

어서
소리 내 불러봐라
그 입술
침샘이 말라서
퉁퉁 부은 채 입안에 맴돌고
허수아비처럼 처절하게
비바람에 시달리다
푸욱
고갤 떨구는 날
거짓은 가짜라는 사실

아름다운 여백

시간이 짧다
뿌려진 언어들이 숨을 고르고 있다
팔딱거리는 가슴
달콤함에 묻어버렸다
촉수는 무언의 답으로 덮으라 한다
흠,
그 짧은 시간 다 허비하고도
가슴이 텅 비어버렸다
부족함 없이 채워주었는데
남겨 둔 여백 사이로
늘 컬컬하게 목이 마르다
모습도 스치며 지나갔다
어둠을 셈하는 순간
별빛은 장엄하게 내 품속에 안겼다

촛불잔치

둥근 하늘에
별이 떨어지던 날
네모난 방안에서 셋은
촛불을 켜고 있다
정지된 25시
발걸음 소리, 들릴 즈음
흔들림은 별들이 그들 곁에 머물렀다

나는 먹먹한 가슴을
그가 기대고 있는
벽을 향해 소리쳤다
이봐요!
한사람 그 곁에 또 한 사람
인연은 활활 타오르던 열기
세월은 흘러갔고
저녁별은 촛불이 되고
그렇게 여름은 떠나가고 있다

혼돈의 아침

봄바람이 매섭다

두 어깨를 움츠릴 만큼

차가운 바람

가슴 속을 헤집어 놓더니

이내 떠나갈 준비를 하고 있다

뭇 세월을 탓하겠는가

그 마음을 탓하겠는가

쉰 소리 나는 음성이

장미 가시에 찔려

선혈이 낭자하게 뿌려지고 있다

어디로 가야 할까

무엇을 해야 할까

떠나야 할 곳

휭하게 불어오는 칼바람이다

아침은 늘 분비는 만원 버스였는데

정거장을 멈추지 않고 지나친다

빈 가방을 옆구리에 끼고

멀건 남자가 웅크리고 서 있다

가치의 완성

가치는 무언에서 시작된다
창조는 형성되는 과정에서
굴곡진 언덕도
오자와 탈자도 보이지 않을 때가 있다
가치는 그 답이 보이는 듯하다
그리고 숨어버리기도 한다
부담스럽게 수면에 취할 시간 즈음
신속하게 가치를 바로 세워야 한다
비가 내리면 땅이 굳어진다는 말
세 번씩 예방주사 맞았다
따끔따끔 아프고 머리에 심한 고통
이제 크게 날숨을 쉬는 거다
생명의 단초로 창조가 시작되었다
좁은 골목길 지프를 몰고 가다 보면
빽밀러가 떨어져 나갔을 테고
차의 겉모습은 찌그러졌지만
그만큼 겉과 속은 다르다
가치가 완성될 때까지 멈추지 말자
제각각 창조하는 형체가 다르기 때문이다

빈 의자

흩어지는 시간 속
파르르 떨며
나부끼던 이파리
그만 땅바닥에 떨어졌다

해는
뉘엿뉘엿 기울어가는
저녁 즈음
벤치 의자에 인기척도 사라졌다

부산스럽던 그때
넉살 좋은 입맛은
텁텁한 보이차로
허기를 채우고 나서
총총히 사무실 문을 나섰다
터벅터벅

첫닭이 울면

어스므레한 새벽녘
나는 수탉이 우는 소리에 잠에서 깬다
습관처럼 화장실을 가고
전등을 켜면 부스스한 얼굴
거울 앞에 나를 바라본다

저 수탉만도 못한 나는
밤새 코를 골고 잠에 빠져
생수병을 입술에 대고
주문을 외며 폐부를 씻는다

어두운 심장은
채 떨어지지 못한 조각별처럼
이층 서재에서 시집을 꺼낸다
돋보기 안경 너머로
비밀스런 오솔길을 따라나선다
나는 신비스러운 하루를 열고 있다
첫닭이 울면 나는

방황하는 철새

여름날의 오후는 한적하다
어제 내린 비로 축축해진 대지
끈적하게 흘러내리는 땀
늦은 여름 하늘은 맑고 투명하다
그리고 여기저기서 여자들의 재잘거림
쓸쓸하게 친구를 기다리는 나는
붙박이처럼 뚫어지게 출입문만 바라본다

헐벗은 여름날 오후 나는
방황하는 철새, 셀 수 없는 시간을
능숙한 솜씨로
내 젊음을 불살라버리고
나는 그때를 습관처럼 회상해 본다
그러나 그것은 비통한 과거
나에게 주어진 운명을 탓하지 않는다
그대 이름을 불러본다
쓸쓸한 커피숍 탁자는 외진 곳에서
헛기침하며

작은 연못

내 가슴 안에
작은 연못을 만들어 놓았다
가끔 물 위에 떠있는 백조
날개를 푸드덕거리며
연못가에서 춤을 추곤 했다

옥잠은 파랗게 눈을 부라리며
새벽마다 시샘하듯 우짖고 있다
연못을 맑은 물로 채워 놓으면
파랗게 하늘이 생겨난다
어느 날
장맛비라도 내리면
둘은 몸 밖으로 외출을 떠났다
어떻게~

거기까지만 착각

아니 아니다
거기까지는 생각하지 말자
기억은 늘 되살아났고
울컥 치미는 똑같은 습성 때문에
출입문 앞을 서성거리고 있다
그러나 나는 2%를 채우는 날
그대 곁을 떠날 준비를 한다

풍선처럼 부풀던
한여름날 허름한 커피숍에서
그윽한 눈빛 허기를 채우기 위해
바람처럼 떠도는 밤하늘에 별이 될 것이다
생전부지 처음 본 사람과
차를 마시면서
시집 속 시어를 열띠게 설명하는 순간에도
도대체 나는 무엇을 위해 살아왔을까
되묻지도 못했다
사람들은 그렇게 말했다
저분, 참 좋은 분이라며

그러나 나는 지나가는 바람일 뿐이다

꿈이 실현되던 날
환하게 웃는 모습으로
저 하늘에 별이 되어있을 것이다
사랑하는 사람아 이것도
인생길 벗이라면 그때까지만 춤을 추자
왈츠면 좋겠다

해솔길

단원 김홍도
붓끝이
은빛 대부도를
화폭에 담아 놓았다

솔 향기
폐부를 찌르듯이
바닷냄새가
아,
어머니 품속 같은 해솔길*

* 해솔길 – 안산시 대부도

2부

짧은 키스 후 이별

블랙커피

세상에서 가장
요염한 블랙커피
그 누구 입맛을 탐할까

세상에서 가장
붉게 물든 뜨거운 가슴
그 누가 불을 지폈을까

그대는
내 영혼을 홀짝홀짝
다 마셔버려서
짠한 가슴만
뜨겁게 달궈 놓았다

춘몽春夢

어둠에 싸인 책장
창 너머로
고독이 툭하고 쏟아졌다
TV 앞에 다리를 비틀고 앉아
인기척은 장엄하게
까닥까닥 초침 소리만 들렸다

빗살무늬 세포가
벽을 넘나들며 아린 가슴을 찢는다
세상이 변색되어서 그 기능이 차단될 때
사내들은 고독이란 단어를
꺼내 보며 하얗게 시들어간다

육중한 두 척
목침은 어깨를 파고들며
후회 없는 새벽을 깨웠다
두껍고 단단한 음색이
회오리치듯 먼발치서 달려왔다
화들짝
춘몽春夢은 단아한 여인네 치마폭이다

짧은 키스 후 이별

덩그렇게 놓인 낮은 유리창
빨간 루즈 자국
지울 수 없어서 그냥
창틀에 하얀 가면으로 씌웠다

그녀는 다른 삶을 살아왔고
커피 맛도 다른 커피집에서
치맛바람 손짓하면 그곳을 마치
불쑥 얼굴 내밀며 들어오곤 했다

낯선 여인처럼
사랑에 빠진 그녀
갈망하는 시선으로
짙은 어둠 속을 헤엄치듯
살아 있는 입술은 모닥불
장밋빛처럼 만개한 꽃이 피어있다
그러나
그녀는

나그네

언덕 넘어 산허리
허기진 영혼 잠재울 즈음
흘린 땀방울쯤
그러나 물길 따라
디딘 발자국마다
티끌이 묻어있으니

세상 기웃거리며
골목길 헤집고 다녔어도
빈 주머니 동전 몇 닢
지금 별빛에 속은 듯
구름처럼 흘러가노라

둘이 아닌 혼자인 것을
헛발길질은 여기까지
나는 왜 몰랐을까

그래 그래서

백 원짜리 동전 두 닢
가슴에 넣고 봄바람을 막았다
커피값이 부족하다
손톱달은 곁눈을 부릅뜨고서
차창 밖에서 기다리고 있다
어둠은 높은 벽을 쌓아놓고
까치발로 쳐다보라 한다

공중전화부스가
낮게 움츠리며 몸을 숨겼다
뚜뚜뚜
오른쪽 호주머니 깊숙하게
동전 둘이 입맞춤을 했다
철커덕 고개를 길게 뻗은 가로수
그만 눈에 찔려 눈을 감아버렸다
손끝은 아리다
김밥 한 줄 곧게 뻗은 터널이다
봄바람에 스쳤을까
식어버린걸까
그래 그래서

어둠 속에 묻혀있는

사나운 땡볕이
어둠에 깊이 묻혔다
불꽃처럼 여름은
빨갛게 태양을 살라 먹었다
나는 숨이 멎은 듯
지구 한 귀퉁이에서 헐떡거리며
한여름 그 열기를 탐하고 있다
뼛속까지 붉게 물든
차마 가을빛이라면 좋으련만
그러나 나는 뚝뚝 떨어지는
저 석양에 머물고 싶은
그저 태양만 바라볼 뿐이다
나는 어디로 가야 하는가
나는 어느 곳에 머물러야 하는가
그대여
내 품을 떠나지 마라
숨이 곧 멈출 것 같다
하여 어둠 속에 묻힐
나는 떠나갈 바람일 뿐이다

안개낀 종착역

선이 그어진 골목길
발자국을 따라나섰다
벽이 맞바라보고 있는
좁다란 골목길 불빛에 쌓여
턱하고 앞이 가로막혀 있다

자욱하게 뿌려진 연무
허우적거리며 발걸음 멈춘 정류장
길가에 안개꽃이 피었다

웃음이 곱게 뿌려진 플랫폼
먼발치에서 바라볼 뿐
내 인생도
미끄러져 가듯이
열차는 거친 숨을 내뿜고 있다

목각인형

서울역에서
잠시 머뭇거리며 주위를 둘러보았다
같이 떠나기로 했던 사람 보이지 않는다
어디쯤 오는 걸까
해는 뉘엿뉘엿 얼굴을 붉히고 있는데
허리춤에 숨겨둔 물병만 덜렁거리고 있다
한 치의 틈이 없을 가여운 사슴 한 마리
잠가놓았던 울타리를 활짝 열어놓아야겠다
차표 한 장을 오른쪽 안주머니 깊숙하게 넣고
입술이 타들어 가도록 헐떡거리며 달려가 본다
뿌연 연무가 앞을 가릴 때 손을 덥석 잡아끄는 사람
다급하게 그리고 단호하게
고장난 시계 분침을 탓하라 말한다
출발점에서 지금도 서성거리는 남자는
어깨를 축 늘어뜨린 채 멀건 하늘만 바라보고 있다
누구~
그 소리만이라도 가을밤을 잠재울 수 없다
나무토막을 홀로 만지작거리며
목각인형을 만들어 가고 있다

훈김을 깊은 곳까지 후하고 불어넣어서
금방 알아볼 수 있도록 생김새는
손때가 흠뻑 묻도록 윤기를 내놓을 것이다
차가워진 가을바람이 어깨를 시리게 한다
가슴 한편을 비워놓고서 그 작은 구멍은
객차 안으로 빠르게 빨려 들어왔고
먹먹해진 가슴팍 아픈 생채기가 되었다
저 밤하늘 숨어있는 조각별처럼

비탄의 운명

너무나도 복잡하게
서로에게 무관심으로
마음은 둥둥 떠다니고
너의 저의를 알지 못하니
어찌 같은 길을 걸을 수 있을까

행복을 만들지도 못하면서
괜한 웃음에 서글퍼하고
차가운 말마디가
벽돌처럼 단단하게 굳어 있으니
거릴 활보해야 후련해질 것 같다

우리가 걷는 길
하얀 도화지처럼 깨끗하다
인상적인 과거도
살아 숨 쉬는 잡초만도 못하다
아니 질투와 타인으로 침묵
안개가 피었다 흩어지는
떠다니는 구름처럼
운명은 사슬처럼 동여 매인 것도
하늘의 뜻

잔잔한 흔들림

파도처럼
내 안에 은밀하게 밀려오는
혼탁함에 나는
꿈속을 허우적거리며
순간적인 생각에 빠졌었다

바닷가 모래밭을 거닐며
찬란히 저 타오르는 열기
책장 속에 잠시 담가두기로 했다
서늘한 가슴으로
다른 세상을 엿보는 듯
복잡한 거릴 뒤로한 채
방황을 멈추고
해지는 저녁노을을 기다렸다
그래도
흔들리는 가슴

희망의 토씨

당신에게
희망의 씨를 보내봅니다
정말 잘 될 거야
그럴 거야
좀 더 안정적으로
타인에게 도움을 주는 희망
모두에게 만족함을
당신에게서
행복한 작은 꿈을 만들어 갑니다
동반자를
정말 잘 선택했습니다
이제 우리가 만들어 가요
아니
당신이 만들어줘요

건널목을 지날 즈음

바람 끝은 보이지 않았다
서쪽 끝은
가슴 곁가지에 걸려있는 바람
노란불과 빨간불이 붙은 건널목
터널을 지나칠 즈음
노란불이 시야에서 넘실거리고 있다

멈춤,
그래도 그 끝은 보이지 않았다
주춤거리는 사람들 틈
비좁다
파란불은 금세 꺼져버렸다

잠시, 머뭇머뭇하다
마음 문을 열어 보았다
이미 양심은
석양 노을빛에 묻히고
건널목 저편 창밖은
홀로 어둠 속을 헤집고 떠나갔다

소등消燈

달력 한 장을 바라보다 그만 눈물을 흘리고 말았다
정처없이 떠다녔던 시간
날숨을 토해보니 바로 여기였기 때문이다
제기럴~ 검정 글씨로 써 놓은 그림자가 다가서 왔다
움찔거리며 뒤로 한 걸음 물러서는 순간 그만
낭떠러지 발을 헛디디고 방바닥에 나뒹굴었다
허연 불빛이 얼굴에 반사되어 똬리를 틀고 있었다
도무지 앞이 보이지 않는다
빨간색을 뒤집어쓴 고깔모자인듯하다
짙은 녹색 저고리를 입고 있는
허수아비처럼 보였기 때문이다
어깨를 곧추세워서 손끝을 휘저어봤다
거추장스러울 것 같았던 옷 소매
바람에 펄럭이는 소리가 들린다
저것이 무엇인가
보이는 것은 어둠에 잔뜩 움츠리고 있는
두 척의 앳된 사내였다
그의 심장이 약했는지 아니면
허파에 기름기가 빠졌는지 헛기침 소리만
컥컥

거실 바닥을 맴돌고 있다
아까 걸쭉한 된장국을 먹은 탓도 있겠지만
허참, 달궈진 거실 바닥은 하얀 홑이불이 널브러져 있다
금방 누군가 손때를 묻히고
휭하니 건넛방으로 넘어가는 소리가 들렸다
쿵, 그렇지 그놈이다. 아까부터 눈을 부라리고
나를 쳐다보며 히쭉 웃는 모습을 보았다
저놈이 빨간 고깔모자를 뒤집어쓴 놈이렷다
촛농이 가냘픈 허리를 타고 샛강을 이루며 흘러가고 있다
가만히 들여다 보니 검은 심지가 꼿꼿하게 서 있다
저 건넛방을 가야겠다. 간신히 벽을 더듬으며
두 개의 열쇠가 달린 창고 입구를 찾았다
희미한 불빛이 보인다. 그래도 앞은 분간할 수 없는 어둠이다
여름철이 지나고 늦가을이 시작될 무렵이면
콜록거리는 헛기침을 연신 달고 다니고 있다
부엌에서 덜그럭거리는 소리에 귀를 세웠다
한 장을 넘긴 달력 차가운 겨울바람 소리 같다
너덜거리는 문풍지 아직도 컴컴한 방안은 소등 중이다

불꺼진 창밖

가슴은 차가운 바람
채워 놓고도
수많은 밤과 수많았던 인연
그리움은 현실로 찾아왔다

어깨 위 깊숙이 숨어버린
잠재의식 속 밀어
불 꺼진 창밖에서 목석이 되었다
대답 없는 메아리
벨은 어둠에 묻혀 꺼이꺼이 울고 있다

아,
서러운 가을밤이여
어둔 가로등 불빛만 외롭게 서 있을 뿐
그대
그대가 가을이죠

목마를 타던 날

새벽은 따뜻한
내 어머니의 품속 같다
찬란한 태양빛 눈이 부시도록
앞을 가로막고 있지만
저 빛은 내 영혼과 함께 걸어가고 있다

따끈한 콩나물국밥
한기를 느낀 온몸을 덥혀 주기에 충분했다
간간한 새우젓 시큼한 깍두기
입안 가득 넣으면 지친 삶이 녹아 있다
담백하다
토요일 새벽이면
확 트인 시야 앞을 내달리며 말을 건넨다
이 포근함은 엊그제 만났던 사람
꺼칠해진 입술 탓
서두르지도 못한 시간은 목마를 타고
또 다른 사람이 버티고 있다
늘 그 자리에서

비좁게 파고드는 그리움

지금 공허함은 선풍기 날개 밑에 넣어두자
바람에 날리어
그곳까지 다다르면 보일 것이다
탁자에 앉아 거울 속에 나를 보면
가는 곳마다 손때가 묻어있다

고독함은 자판 두들이는 소리로 답을 듣자
저 멀리서 툭하고 곧 달려와 줄 사람
시야가 좁아서 글자판에 고백을 해본다

청구서가 날아왔다
삐걱하며 열리던 철문
맨발로 출입문을 열어보았지만
바람 소리에 그만 속고 말았다

숫자를 맞추고
날짜를 바꿔가면서 덧셈을 하고 있다
하지만 가슴은 숭숭 뚫려있다
비좁게 파고드는 그리움

너는 모르냐

헐겁고 거추장스러운 선풍기 날갯짓

말 한마디가 듣고 싶은 애절함

오늘도 속절없이 창 너머 파란 하늘만 바라본다

겨울 바다

화들짝 꿈을 꾸었나 보다
선명했는데
따뜻했고 강렬했다
그곳에 가고 싶다
바닷가를 거닐며 흩어진 조가비를 주어
파도에 씻겨진 발자국
먼발치에서 또렷하게 들려왔다

겨울바람 스쳐듯 지나치듯이
두 어깨가 시려 왔다
덜컹거렸던 겨울
독감 바이러스의 흔적을
깊게 남기고 떠날 준비를 한다

고약한 놈이다
염치가 없다
멀건 하늘만 가끔 바라보는 습관
둥둥 떠 있는 별들이 어디 갔을까

흔적없는 울림

흩어졌던 바람
그녀의 어깨너머로
흔들림은 소리 없이 다가왔다
토막난 언어 조각은
뼈마디가 가냘프다

별빛도 묻힌 밤
네온 불빛에 쌓였던 일상을
탁자 위에 내려놓고야
더듬더듬 뼈마디를 찾았다

너는 누구냐
끄떡끄떡
몽당연필은 흔적 없는 울림뿐이다

인생 수업

깡마른 어둠은
눈을 감을 수 없이 고요하다
창틈에 기댄 채
나는 그 안에서 서성거리며
살려달라 기도를 한다

그날 밤은
푸른 물결이 출렁거렸고
안개 낀 골목을 거침없이
그리고 앞으로 뛰어나갔다

나는 가던 길을 멈추고
눈물을 훔치며 우수에 잠겼다
십자가를 바라보며 갈망하는 시선은
말이 없는 죽음
다른 삶은 여기까지
그러나 나는 도도하게 흐르는
저 강물 따라 걸어가야 한다

흔적을 남기고

사색 물결이 가득하다
천천히 서두름도 없이 사라져간다
언제쯤 뜨겁던 열기
생명을 부지하기 위한
몸부림은 시작되었다

화사한 자태를 뽐내던 꽃잎
봄은 옷자락을 휘날리며
바람처럼 스치며 떠나갔다
봄바람은 포자 씨를 가슴에 묻고
그 시절 그리워할 것이다

짧은 입맞춤
허기로 가득했기에
주체할 수 없는 그리움은
어둠도 삼켜버리고 말았다
삶의 흔적은 낯익은 사람 틈에서
저마다 개성에 취해서 비틀거린다
산이 나를 부른다
바다가 나를 오라 한다
내 사랑하는 사람도 오라 한다

주홍빛 사랑

그대여
내 곁을 떠나지 마오
나는 언제인지는 모르지만
그대를 오래전부터 마음에 두고 있었다오
창문 열며
찬란한 햇빛은 청초한 그대 눈동자
아침 안개처럼 흐르는
주홍빛 장미꽃처럼
그대는 나의 아름다운 여인이었소
잠깐 어둠에 갇혀 우울할 때도
그대는
나와 함께 있어 달콤한 속삭임으로
하늘 저 먼 곳까지
별빛을 헤이며 꿈을 만들어 주었소
잠시 나는 그대의 울타리 안에서 허허롭게
세상을 탓하며 빗속을 걸어 다녔소
그러나 나는
살아 숨 쉬는 것조차 사치스럽고
겉가죽을 변장시키며

슬픈 눈으로 헛것만 찾았고
허우대만 멀쩡한 남자로 살았을 뿐이오
여기까지 달콤한 사랑을 받으며
살아온 시간만큼 그대여
지금 내 곁에서 멀리 떠나지 마오

구두 한 켤레

삶에 무게가 너무 무거워졌다
분침과 초침은
쉼 없이 아우성치며
공회전하는 듯 하루가 떠나갔다
목적지도 기댈 곳도 마땅히 없다
숨이 턱턱 막혀 온다
널따란 이 공간이 두려울 뿐이다
혼자라는 사실은 매일 부질없이 지나갔고
이 세상이 싫어지고 있다
의미 없는 세상
존재감도 없는 나는 차라리
저 창공을 자유롭게 날아다닐
깃털 같은 날개를 준비해야겠다
삶의 무게가 힘들다
먼 여행길
구두 한 켤레 사 들고
왔던 길 이제 준비해도 되겠다

윤중로 벚꽃처럼

텅빈 전철 안
창밖도 비어 있는 듯하다
틈 사이로 볕이 쏟아지고
흐르는 침묵
열병에 지친듯하다

만개한 벚꽃 눈길도 못 받고
홀로 윤중로는
바람결에 헛기침하던
사내들이 떠나갔다

봄날을 기다리며 이른 새벽
멈출 것 같지 않던 설렘은
이른 아침을 만들고 만다
서울 가는 전철은 요란한 안내음성만
침묵하라
가는 길을 재촉하고 있다

출렁거리는 통증

그리움에 지쳐
어둔 창밖 바라보다
잠을 청합니다

달빛에 그을린 흔적
손끝은 아리도록 아픕니다

출렁거리던 음색
어디서 듣던 목소리였으니까요

가슴에 통증이 밀려옵니다
아까
눌렸던 갈비뼈가 더듬거리던 손목을
잡아 버렸기 때문입니다

진통제가 통과하는 시간
통증은 다가와서 노크를 합니다
〈

별빛에 물어봅니다
그리움을 어찌하냐고
고갤 끄덕거립니다

이 마음 그 사람에게 전해준다며
잠자리에 들라 합니다

그래요
그 사람이 애타게 보고 싶고
그리움에 목말라 할 때
당신은 속삭였지요
사랑한다고

서툰 고백

건식사우나에 몸을 맡기고
깊은 상념에 잠긴 듯
비애가 사라지는 순간을 셈해본다
발밑에서 뜨거운 훈짐은 혈관을 관통하며
삼십 분이 지나니 땀방울이 뚝뚝
벌건 대낮 긴장한 탓 수축된 세포는
활개를 치며 꼬릴 흔들어댄다
묵은 체증도 삭이며
상기된 시야가 금방이라도
덜컹거리며 밑 바다에 주저앉았다

숙명이란 겹겹이 쌓아놓고 버리지 못한 욕심
하나둘 내려놓은 연습을 한다
벽에 걸려있는 젊은 남녀
입맞춤은 추억 속을 더듬거리게 했다
세워 놓은 거울 속 나는 덩달아
우쭐거리는 표정으로 벽에 갇혀있다
반 평 거실에 내 모든 걸 맡겨놓고는
그대가 남겨 두고 간 향기를 만지작거린다

〈

아주 먼 길을 떠나온 사람처럼
혼자만의 고독을 채워 넣고 있다
사람의 존재는 이렇게 타인으로 하여
행복해하고 또 붙여진 이름 앞에
커다랗게 원형을 그려놓고
그 안에는 단둘만이 공존하는 유리 벽
웃고 웃는 시간의 연속 새롭게 변해갔다
기회가 왔다, 잡아야 하고 잡아놓아야 한다
훗날 숙명이란 단어 고맙다. 말하리
내가 존재하고 있는 그대가 만들었을 시 한 편
서툰 고백을 해야겠다

들창을 바라보면

나는 매일
다섯 번씩 이층 계단을 오른다
가파르지는 않지만
오를 때 느낌과
내려올 때 신비스러움
들창을 바라보는 순간
비틀거리는 나는
보잘 것도 없는 몸짓으로
허둥거리며 벽에 어깰 부딪히고 만다
벌써 몇 번째인가
이러다 그 누구도 없는
빈 집안에서 외마디를 지르며 머리에
두통이 느낄 때면
세상은 저만치 떠나갈 것 같다
그래서 나는 두렵다
매일 저 이층 계단이

그 여름날에

창틀에 기대어
비틀거리는 소리
열기에 흠뻑 취해버린 여름밤이다
벌건 대낮
알싸하게 놀아났다
갈바람 소리에
소스라치게 놀란 뙤약볕
옷깃을 스치는 선선한 그놈
계절은 숨을 헐떡이며
창문 너머로 안겨 왔는데
네놈 목숨도
끝낼 수 있건만
내년이면 허리춤을 붙잡고
붉은 심장 열기를 몰고 오겠지
그때 그 여름날

3부

나는 허수아비

독도를 탐하지 마라
- 거짓 고백

내게 보이는 것이 내게 전부가 아니요
내게 느끼는 것이 내게 전부가 아니듯
진실이라고 고백하는 목메는 인간들아
포장된 위선과 거짓이라고 하는 것은
스며든 악덕, 삶과 죽음의 모호한 문턱에서
절대 진리가 사라진 세상, 하지만 가치관은 살아 있다

참 뉘우침과 참 용서는
현자라도 찾기에 버거운 오늘의 현실에서
자기네 땅이라 주장한들
세종실록에 기록되었고 세계지리에 기록된바
과연 무엇이 옳고 그릇 된지를 쉬-판단하지 마라

앞서 사람들은 너무나 자신의 문제에 골몰하며
인생길 탐욕과 쾌락과 자기네들 만족만을 위해
촉수를 곤두세우고 이곳저곳 기웃 방향을 상실한
그 시대가 너무 많은 것을 앗아간 악몽의 시대였다

그러나 지금도 진정한 행복이 사라진 졸부들이여

나만 있고 너는 없는 그래서 우리가 상실된
그놈은 입술로만 고백하는 거짓으로 살아왔구나

이제는 너도 알고 있고 세상이 다 알고 있는 청춘
우리도 슬픈 영혼 앞에 한꺼풀 벗겨 던지고 모두는
고개 숙여 단아하게 앉아있는 저 소녀를 바라보라
언제까지
진실을 오도하고 청춘을 살라 먹은
동해 밖 독도 그 너머의 족속인 속물들아
들을지어다
어서어서 그 잘못됨에 용서를 빌라
여기 영원히 잠들지 못한 한 소녀가 울고 있음이다

중복中伏

은은한 불빛 사이로
어둠이 불쑥 내려앉았다
사방은
고즈넉한 시간
벤치에 낮아
둥그런 하늘을 껴안아 본다
그때였던가
서늘한 바람까지
초록 이파리도 흔들거리는데
별빛도 떠나버린
중복 날 쉬 잠 못 이루니
물끄러미 바라보던
내 마음을 알고 있는지
축 처진 어깨너머로
뿌연 안개만 자욱하다
세상에 태어난 날

왈츠의 서곡

내일은 행복한 날 그대와 춤을 추고 싶습니다
화려하지 않은 네온사인 거리에서 신나게 춤을 추었으면 합니다
오랜 세월 묵혀 두었던 못다 핀 이야기꽃 틔우며
그 향기에 취하면 따가운 햇볕 달궈놓고 영혼까지
송두리째 빼앗겨 버렸습니다

언어의 벽은 깊고, 넓고, 파래서 채워도 채워지지 않는
그 끝이 깊어서입니다
바람 불던 날 나뭇가지 흔들림에도 어깨가 들썩입니다
추임새로 호수 물결이 잔잔해지면 출렁이는 물결에도 거릴 배회하던 사람
그 사람들 틈에 내가 서 있습니다

손끝에 붙이고 가슴 한켠을 채워두고도 1%가 부족한 것이 느껴집니다
맑고 밝은 투명한 색채 떨림의 계절인 가을
오늘은 오늘로 만족해야 합니다
덩실덩실

내 심장은 도둑놈이 되어서 옷깃을 스치며
흠뻑 젖은 가슴을 어찌 표현조차 못 했습니다

형식에 구애받지 않고 장단 곡에 목 놓아 울던 때
설움의 조각 퍼즐 맞추듯 벅찬 환희로 만들어 보겠습니다
울림이 화음의 손끝을 집중하면 그 따뜻한 마음이 전해져서
너무나 특별한 사람 뜨겁던 어느 여름날 선물처럼 나타났습니다

이른 새벽마다 마법을 걸면 내 심장을 뒤흔들어 숨 쉬게 한 사람
아침 이슬을 머금고 찬란한 햇빛을 잉태하고 말았습니다
카멜레온처럼 변장하는 형상
연필 도둑 영혼이 닮은 사람
단 한 사람만을 위한 춤을 춰야겠습니다

그날의 기억

꽃비가 내리는 화정천 길목마다
바람에 흩어지는 꽃비가 흩날리고 있다
초지역 남쪽 마을 아담한 담장 너머로
목련이 꽃봉오릴 수줍게 내밀고 있다
아,
저 여린 이파리도 새순을 돋고 있구나
기억의 교실, 뿌옇게 쌓인 먼지
책장을 넘기는 소리도 멈추었고
재잘거리던 계집아이들의 웃음소리
그날 이후 들을 수 없어 적막함에 아프다
지금도 팽목항 바닷길은
괭이갈매기 우짖는 소리가 가득한데
파도가 숨겨 놓은 이름 석 자
바닷바람에 철렁 가슴이 에이게 하는구나
애야,
너는 어디에 있니
하늘나라로 쓰다만 편지
뚝뚝 떨어지는 그리움을 어찌하라고
보고 싶다
내 사랑하는 아이야!

* 세월호(2016.4.16.)

숙명적 인연

별이 호수를 바라보다
뚝하고 떨어졌다
그림자는 물살을 가르는
잠겨버린 그리움이다
그대가 갈라쇼의 주인공이다
객석에서 춤추는 무희
데깔코마니 모자가 탐이 났다
시방 보고픈 사람아
어디 어디에 있을까
커피 향 입안 가득 남겨 놓고
뒷모습만 찬란하다
그만, 사내는 사랑의 비수를
가슴 깊이 품고
숙명적인 만남을 기다리고 있다

그날은 그날처럼

그대 가슴에 남겨 둔
사랑 어찌할 수 없는 간절함을
그냥 근심으로 지나칠 수 없습니다
오늘도 그리움을 삼키면서
또 다른 나를 만들어 갑니다
세상은 이렇게도 말하던데요
지식은 머리에 담는 것이 아니라
가슴으로 골라서 담아 둬야 한다고요
어느 날 자주 갔던 도서관 입구를 서성거리며
야윈 가슴을 비워두고 돌아왔습니다
한낮 열기에 쫓기는 듯 지난 시간
추억의 한 페이지 추억으로 남겨두었습니다
한 장 한 장 펼칠 때마다 웃고 울고
겹겹이 쌓아두었던 사랑의 증표가
강한 접착제에 붙어서 떨어지지 못합니다
그때는 말없이 떠나갔지만 남겨진 쓴웃음은
꽃밭에서 꽃씨를 뿌리던 시간
그날은 그날처럼 행복했으니까요
사람들은 말하던데요. 여름은 더운 것이 아니라

열기가 넘쳐서 사랑을 덮었다고요
그래서
가을은 쓸쓸한 낙엽을 즐겨 밟게 되고
겨울은 시린 손을 바지 주머니에 넣고
동전 몇 닢을 만지작거리며 거리에 붙여진
낯익은 간판 조각만 바라만 보고 걷는답니다
그날 이후

내 가슴속 자야

나만 바라봐 주겠소
숲길을 거닐며
파란 하늘이 나를
휘감고 돌고 돌아서
황토 물감 뿌려놓은
널따란 잔디밭처럼

차라리 한적한 찻집에
오늘같이 하얀 안개가
그림자처럼 뿌려놓았으니
나만 바라만 보겠소
창 너머 보이는
그대여

나그네
-同色-

허튼 뱃가죽
매 끼니를 가득 채워도
헐떡거리는 인생아
들꽃은 아름다웠다

꿈은 사그라지고
헛기침으로 보낸 세월
은밀한 바람 밑에서
한 여름밤 열기
쓰러지고
쓰러져 들판에 널브러졌다

오,
나는 어둠 속에 바스락거리는
돌부리가 되어
벗어날 수 없는 업보로
약봉지 가슴에 끼고 달리노라

그래서 좋았을까요

그때는
우연인 줄 알았습니다
골목길을 따라나설 때부터
방파제 파도가 부딪히는 소리
그 소리조차 들을 수 없을 만큼
숨이 멎을 것 같은 바닷길을 달려갔으니까요

누가 뭐라할까
생각도 없이 마음에 줄을 긋듯
바다 한가운데 떠 있던
조각달은 말을 건네옵디다
어디서 많이 본듯한데
흘러가는 구름 스쳐 가는 바람이겠죠
그냥 헛것처럼 보일 때
망설임도 없이 바다에 던져버리라구요
잘록한 허릴 꼭 껴안는 순간
불쑥
어찌할까요

절묘한 대답

그때마다 절묘하게
문자가 송달되었다
순간의 마찰음
결과도 없이 떠나갔다
대답도 듣지 못한 채
살금살금 뒷걸음치고 말았다
길모퉁이 집은 훈김이 서렸고
그냥 바삐 오가는 사람
초대받은 손님도
빈 의자에서 까맣게 물든 밤을
손가락만 만지작거리고 있을 뿐이다
복잡해진 생각은
빈 커피잔에 숨겨 놓고
허기진 가슴에 뻥 뚫린
그림자처럼 떨어진 고독이다

나의 여인이여

나의 여인이여
그대는 언제부턴가 벽을 쌓고 있었다오
진정 나를 사랑하면서도 답신도 없이
단단한 벽돌 안에 나를 감추고 살았소
나의 연인이여
슬프게 만들면 나는 침울하오
눈길을 달려왔건만
까맣게 물든 이층 창문에 커튼만 보일 뿐
인기척도 없는 골목길 전봇대를 붙잡고 있다오
그렇게도 수 세월 앙칼지게 단아해 보였는데
나폴 거리는 치맛자락이 나부끼고
창백한 겨울은 까칠하게 마른 입술만 탓하며
막다른 길을 바람처럼 막아서고 있었소
나의 여인이여
제발 그 노래는 부르지 마오
여느 때처럼
가느다란 웃음꽃 채워주듯
도도하리만큼 단단해진 벽을 허물고 싶으오

세상만사

왼쪽 눈이
하얗게 서리가 내려있다
눈을 비비면 실눈을 뜨는 듯
허술하게도 세상을 만났다
오른손 엄지 쪽에
가느다란 실금이 갔다
움직이면 고통스러움에
더듬거리며 문고리를 잡는다
난 세상을 이렇게
허술하게도 살아왔나 보다
실눈을 뜨고 오른손을 더듬거리며
오늘도 영동고속도로에서
추춤거리며 운전을 한다
잘도 버티며 살아온 세월
두툼한 호주머니를 만지작거리며
언제쯤 가슴을 펴고 웃어볼까
참, 인간사 두고 볼 일이다

긍정적인 반전

존재감은 반전의 계기가
곧 도달했을 때
강렬한 떨림이 밀려온다
긴 기다림은
그렇게 쾌감을 맛보고
오롯이 설 수 있는 자리가 온다
의연하게 짜릿한 눈빛을 직시하면
당당하게 준비된 길을 걷는다
인간사 우호적인 관계
어깨를 맞대면 호감 있는 모습
둘은 따뜻한 입김을 쏘이며 길을 간다
굴곡진 세상
어깨를 펴는 날이 오고
우편함에 가득 쌓인 색바랜 편지를
꺼내는 순간
그때가 좋았다며 피식 웃을 수 있다
긍정은 늘 곁에서 기다리고 있으니까

세월의 흔적

시집 한 권이 우체통에서
손을 길게 내밀었다
차디찬 겨울 겉봉을 열었더니
내 따뜻한 품속으로 걸어왔다
낱말이 스스럼없이 와락 껴안아 주었다
하루의 일상을
주섬주섬 빈 광주리에 높이도 쌓았다
책장 사이로 단어 한 토막이
나풀거리며 춤을 추고 있다
대부도 선착장에서
우두커니 서 있던 낱말의 씨
깔끔한 손가락으로 촘촘하게 붙여놓았다
천덕꾸러기 같았던 세월의 흔적
네잎클로버
생명의 단초를 풀고
이른 봄볕을 기다리고 있다
따사로운 눈빛 가슴 가득 채워놓았다

허세에 산다

우리는 오던 길을 따라 다시 떠나간다
세상이 아무리 어수선하고 탐탁하지 못해도
그 안에 나를 내려놓고 처절하게 허우적거리며
때론 나 아닌 다른 사람의 모습으로 가면도 썼다
그리고는
겉모습은 근엄하게 속마음은 가시가 박혀서
아픔을 숨겨가며 헛웃음으로 사람 앞에 선다
어쩌다 굴러온 돌처럼 허세를 부리기도 하고 나무 뒤에
숨어서 숨을 할딱거리며 눈 앞을 가리기도 했다
토씨 하나 발견하고 두 눈을 부릅뜨며
세상이 마치 자신 것처럼 독선을 부리기도 했고
무엇하나 변변치 못했으면서 사람 앞에 서서
뒷짐을 지고 허허 큰 소리로 돋보이려 했다
모두가 같은 존재인데 세상은 공평하지
못할 때가 가끔 있어서 짠 웃음을 참을 때가 있다
사각모를 쓰고 정문을 나선들 같은 인간이요
시장 골목에서 해물을 파는 친구 사장도
덜거덕거리는 책장을 넘기는 석학도 허세에 살고
나도 너도 너덜거리는 인간인 것은 다 알고 있다

애써 외면한들 오던 길 다시 돌아가는 숙명 같은
그래서 커피 마시고 빵 한 조각을 떼어먹으며
맛을 즐기며 창 너머 넓은 세상 탐하는 것도
세월이 만들어 준 인연 덕분이 아니던가, 그대여
고맙소

나는 허수아비

삭막한 벌판에 서 있다
가을철에는 산새들이 날아와 놀다 갔고
가을걷이를 즐기던 아낙들 깔깔 웃음소리가 들렸다
간이역이 있는 마을
오고 가는 사람 모습을 훔쳐보면서
저곳으로 가야겠다며 한 발짝을 움직여 보았다
한기가 느낄 즈음 겨울바람도 사나워졌다
덜커덩 기차 바퀴 소리만 요란하게 들려온다
왼쪽 무릎이 시려 왔고 어깨가 으스러지도록 아파졌다
돋보기 너머 글씨도 희미하게 달려들곤 한다
창틀에 기대어 사람 소릴 엿들어 본다
두 팔을 벌리고 있어 움직일 수가 없다
엷은 겉옷을 헐렁하게 입어서 바람이 숭숭 빨려든다
나는 지금 어디쯤 가고 있을까
목청 높여 부르는 소리
인간들 웃음 주섬주섬 일기장에 담아 본다
나는 늘 그 자리
세상을 탐하며 벌판에 선 허수아비
깊게 뚫린 가슴에 홀쭉한 욕심만 나풀거리고 있다

당신은 왜 그러십니까

보였다고 다 보이는 것이 아닙니다
인생길을 같이 걷는다고
그대가 내 속마음까지 어찌 알까요
입술을 닫고 두 눈을 감고도
귓가에 들려오는 음성 다 들리는 듯합니다
태양볕에 검게 그을렸다며
두 손바닥 보였을 때
겉과 속이 다름을 알았습니다
책갈피에 끼워두었던
슬픈 이야기 한숨처럼 뿌려집니다
잠시의 만남은 초침이 부러졌기에 멈춘 것뿐
입안은 모래알이 쌓여서
바싹 마른 백사장이 되었고
처진 어깨를 곧추세우며 그냥 빙그레 웃을 뿐입니다
잠깐만요
아까운 시간 재촉을 한다고. 밤낮이 바뀔 수 없는 것을
그대는 정녕 모르시는군요
속상하다
미안하다
다 보이는 것도 아닙니다
내 모든 것이 당신 것인걸요

당신은 모릅니다

당신은 모릅니다
초복 그 다음 날
신선한 눈빛으로 다가와서
온통 내 마음을 빼앗아 갔던지를
당신은 모릅니다
이렇게 소낙비가 내리는
빗소리를 듣는 순간
미소 띤 얼굴이 보고 싶은지도
시간은 재촉하듯 흘러 흘러서
주저 없는 볼멘소리
그것조차 듣는 것도 사랑인 것을
당신은 모릅니다
내 마음같이
당신 마음 깊이 파고들고 싶은
그래서 곧장 달려가고 싶은 그 마음을
당신은 모릅니다
소리 없는 속삭임을 들으며
나의 무표정한 얼굴을 훔쳐보곤
외면하는 당신 그러나

나는 당신을 무척 사랑하고 있음을
아무런 물음도 답도 없습니다
당신은 모릅니다
투덜거리는 그 소리
폭 안아주면 그만이라는 것을
나도 압니다
그 마음을 말입니다

파란 심장

타악기는 두드려야만
특유의 음색을 뿜어댄다
날카로운 소리
귀에 익은 소리
시작도 끝도 없이
마음에 담아두고 싶은 소리다
흡족한 투정도
달가운 인사도 듣기 좋다
그대를 사랑하기에
그 모든 것이 다 예쁘다
내 것이니까
예측은
조만간 좋은 소식이 올 것 같다
그대를 한여름 뜨겁게 만나서
살갑게 바람처럼 다가왔을 때
진실은 투명해서 볼 수 있던 것이다
그 순간
파란 심장이 춤을 추고 있었다

낯설은 시간

두꺼운 새벽은 오늘도 다가왔다
뭉텅뭉텅 살을 에는 그리움
가슴뼈가 아리도록 시리다
난 빈공간이 싫어졌다
번호키를 누르고 한 발을 내딛는 순간
무겁게 버티고 있는 공기가 두렵다
우두커니 책장을 바라보며
눈에 띄는 시집 한 권
눈에 익은 듯하지만
낯설은 시간은 연속이다
달달한 웃음 그 눈빛만 봐도
금방 알 수 있는 심장박동
쿵쿵 지금 느낄 수 없어 슬프다
내 곁에 있어 줘서 고맙다
5분 만이라도 날 지켜줘서
발걸음 맞춰가는 내 사람아
아,
뼛속까지 그립던 시간을 사랑한다

독방

바다는 어둠이 장엄하다
팔딱거렸던 불볕더위
모두 삼켜버렸다
핼쑥해진 허리춤
작열한 태양 그 볕에
살을 에는 아픔이었다

잠시 곤한 숨소리로
끓는 붉은 피를 쏟았다
저 푸른 바다보다
짙게 깔린 어둠이
이 새벽 가슴이 더 시리다

안개가 자욱해져
굳게 닫힌 창문마다
곤하게 잠든
새벽안개가 안타까울 뿐이다

화살촉이 시어 속을

심장을 꿰뚫어 놓았다
붉게 타버린 가슴
시월의 마지막 밤
책장을 넘기며
고독한 여인의 눈물을 보았다

먼길 마다하지 않고 떠난
오라버니
애달픈 그리움은
시어 속에 움트듯이
촉촉하게 뿌리는 가을비 같다

그 빗소리에
참았던 울음을 삼키며
켜켜이 쌓아두었던
아,
색소폰 소리가 그 음성인 듯
세월 따라 너덜거리며
나를 나를 오라 한다
화살촉 같은 세월

인간일지

사람은
세월을 거스르지 못한다
혼자인 것처럼 고독하다
둘, 셋이고 넷이었다
행복에 웃음 짓고
갑작스런 변고로 혼자인 것도
하여
저 혼자 하늘나라로 날아가고 만다
훌훌 털어버리고 싶은 충동을
찬 서리 머리에 이고
가쁜 숨을 몰아쉬며
오늘도 층층 계단을 올랐다
조금 더 길게 살고 싶다며
내 몫을 다하는 자유함
하늘나라 가기가 싫어서
입술 내밀고
어깨 쭉 펴고서 앞만 바라보며 걷는다

4부

못다 쓴 이별 편지

반달 섬

해가 뜨면
반달은 손톱달로 변한다
빛을 머금고 어두운 그늘에 숨어버린
벽에 걸린 반달은
촉촉한 입술을 불쑥 내민다

어슴푸레한 저녁
남자는 벽에 걸려있는 스위치 박스를
익숙한 듯 꾹 누른다
붉그스레한 턱 밑 전기장판 위에
두 척 사내는 넙죽 엎어졌다

그믐달이 뜰 무렵
반달 섬에 갇혀있다던 소문
세상을 떠들썩했던
그날 2.5t 트럭에 가득 싣고
영동고속도로를 따라
남한강을 곁눈질하며
멈추었던 이곳 여주驪州
지금 남자는 반달 섬에서 웃고 있다

커피 맛을 아십니까

잡다한 생각이 떠오를 때
탁자에 쪼그리고 홀로 앉아
무관심으로 때론 침묵으로
나는 커피에 길들여진 중독자다

창문 너머로 보이는 사람
정막은 흐르고
누구는 둥둥 뜬 얼음을
누구는 밀크가 샤워한 듯
백조가 물위를 떠 있는 듯
저 웃음소리도 무너져가는 영혼
나는 커피로 비탄에 빠진 운명이다

행복을 주저하지 못하면서
공허한 입담을
주섬주섬 헛된 입술로 마시며
나풀거리는 무대의상을 입고
나는 커피 맛도 모르면서
허기를 달래려 커피를 마시고 있다
그대는
커피 맛을 아시나요

내 탓이다

약병에 쓰인 약속
제조 일자가 지나갔다
바이러스가 감염되었는지
출입문까지 걸어 잠그고 말았다
초인종을 달아 놓고
손때가 묻어 있을까봐
화장지로 닦고 또 닦았다

약병에 쓰인 효능
깨알 같아서 두툼한 안경을 쓰고
더듬거리며 읽어갔다
몇 주가 지나갔고
병뚜껑을 열어서 꾸역꾸역
입안으로 털어 넣고 컥컥거리고 있다
아직도 얼얼한 잇몸
좁디좁은 골목 너머
쉼터가 있는 곳까지 투덜거리며 걷고 있다
그 시절
매일 맛보던 치약이 명약인데
취해서, 욕심 그놈이다

시절의 기억

초록빛 잎새
바람 따라 춤추고 있습니다
여린 가지 끝
아직도 여물지 못한
너른 벌판 새소리가 그립습니다
그곳을 가 보았는지요
보리가 영글어
바삭거리는 소리 들어 보셨나요
부뚜막에 놓아둔 시큼한 된장국
구수한 냄새가 풍겨옵니다
녹음 짙어가는 유월 알싸한 풋고추
입안 가득 먹어본 기억이 나시나요
동구 밖 노란 참외가 익어가면
온 동내 단내를 풍기던 시골녘
지금도 그리워 한답니다
툇마루에 누워 파랗고 높은 하늘 바라보며
그리운 사람 그리워해 보셨나요
밭고랑 사이를 걷던
좁쌀 같은 콩꽃이 틔우면

한낮 태양도 춤을 추고 있답니다
들녘에 서성이는 허수아비 꼭 닮은 사람
늘 그런 모습으로
허허로운 세상을 가다듬고 있습니다

내 한 조각
-拔齒

반백 년을 넘게
살을 비비며 살던
내 조각 하나를 세상에 보냈다

세월의 흔적
듬뿍 담아서 먼길을
아주 가끔은 밤새도록 머리끝까지
신경을 곤추세우게 했고
유유한 시간을 버텨왔다
하지만 어찌할 수 없이
발치로 그 끝을 보게 했다
욱신거렸던 고통 눈이 녹듯 산뜻하다
입안 한 한곳이 비어있다

가시 돋친 발음은 튕겨 나갔고
봄은 코끝에서 시큰둥하며
애써 외면을 하고 있다

둥둥둥

하루를 정리하는 노트
두 권을 선물 받았다
오늘 했던 일 코흘리개 초등생처럼
빼곡하게 적었다
기억은 지나치면 상실된다
고백하듯이 써 내려가면
나를 볼 수 있다
아차 이발도 했는데 빼 먹었다
잠시 동안
하루 일과를 추려서 정리해도
버려지는 것들
오늘부터는 허리띠를 동여매야겠다
무지개 피는 언덕
신발 끈을 고쳐 신고
매일 올라가야 하니까
벌써 기다리고 있을지도 모른다
혼잣말이다
둥둥둥

반추된 봄

째깍거리며
돌아가는 우수의 길
먼 시간여행을 떠났다
초록 이파리에 가려진
달빛 호수에 반쯤 잠겨있다

숨어 버렸을까
서걱거리는 바람 내 마음도
물결치듯 출렁거리고 있다
그래 반 발짝씩 걷자
이른 봄은 시곗바늘처럼 날카롭게
이 세상을 들썩이고 있다

어스름한 밤길
두근거림도 없이 무표정한 모습
봄날은
반쯤 잠긴 달빛 같다

막차가 떠난 후

공허가 어슬렁거리는 골목
뿌연 먼지만 나풀거리고 있다
호주머니 안에서
파랗고 노란 색채가 추춤거리며
뒷짐을 지고 끙끙거리고 있다

자, 축배를 들던 날도 멀어져 갔다
축대를 쌓아 올린 단장 너머로
빨간 장미꽃이 만발하다
입술을 닮았고
콧등도 붙여 놓은듯해서
걸쭉한 가시가 엉거주춤 서 있다
막차가 떠나고
먼지가 허옇게 춤추던 정거장

새벽녘은
인기척도 없이 을씬스럽다

망부석

바스락거리는 나무 잎새
생명을 마치는 날
끝이 아니었음을 알았다

언제 맛보았는지
흘러가는 세월쯤
고백한 씨앗은
하얗게 부서지는 파도였다

그리움은
망부석이 되어도
비바람에도 쓰러지지 않았다

정처없이 떠났던 바다
소래포구 뱃길엔
가리비, 국화빵
파도밭에서 갓 잡아 온
꽃게 상자만 수북하게 쌓여 있었다

목침

어둠에 싸인 창 너머로
고독이 쏟아졌다
탁자 앞에 다리를 꼬고 앉아
인기척에 초침 소리가 들렸다

빗살무늬 세포가
벽을 넘나들며 아린 가슴을 찧는다
세상은 변색되어서
그 기능이 차단될 때
고독이란 단어도
하얗게 시들어갈 거다

육중한 두 척
목침은 어깨를 파고들며
후회 없는 새벽을 깨웠다
두껍고 단단한 음색이 울렸다
징~지잉

버팀목

너른 이파리가
햇볕을 막아주는 여름밤
장맛비 개인 후 차가운 밤공기는
시리게 가슴팍을 파고든다
늘 걸어가던 길 언제부터인지
터벅거리며 축 늘어진 어깨를 보았다
세월을 탓하리 웃음을 탓할까
곁사람을 탓할까
사람에 흔들린 바람
너도 그 품에 안겨서 웃고 있는 것을
누굴 탓할까
두 날개가 꺾인 허수아비처럼
황량한 벌판 비에 젖어
별빛을 안주 삼아 실음 떠나보낸다
그렇게 버텨온 세월
여덟 계단 미끄러지듯
차갑게 식어가는 그 마음을
연습하는 것처럼 뿌리치는 것도
달빛도 별빛도 모르게 눈시울 붉히며
어둠에 묻혀버린 그리움도 길을 잃었다

문학도 文學徒

우리는 시인이라며 눈이 충혈된 채
서로 펜을 들고 책갈피 속을 헤집고
책방을 넘나들며 때론 도서관에 숨기도 했다
안경테 너머로 뿌연 연무가 뿌려지면
붉은 가면을 벗고 삶에 중독된 행동을 한다
벌거벗은 채 방바닥에 흩어지고 쓰러지고
천정에 달린 백열등과 씨름하며
미쳐버리도록 거릴 활보하기도 했다
생존하는 법칙도 아닌데
자신만의 울타리에 갇혀 허둥거리는
옹졸한 인간 본연의 음란한 파티를 준비한다
너무나 복잡한 인간 세상
너무나도 균형에 지친 날들 그러나
책 한 권에 목숨을 구걸하는 나도
들판에 잡초처럼 서로를 물고 뜯고 있다
비평가들은 앙칼진 목소리로 잔치를 벌이고
지식에 물든 학자는 근엄하게 웃고 있다
나는 침묵한다
그러나 비탄에 젖은 운명처럼 시방
펜을 들고 나만의 울타리를 만들기 시작한다

못다 쓴 이별 편지

파란 도화지 겉장에 이렇게 써 놓았다
나보다 더 좋은 사람 만나면 떠나라
그리고 뒤도 돌아보지 말고 발길을 재촉하라
지난 일을 거두지 말고 펴보지도 말며
내가 건네준 사랑했던 연모도
아픈 이야기도 받았던 사랑도 생각하지 말라
같이 걸었던 산책길
마주 보며 마셨던 커피 맛도 짧은 입맞춤도
파란 도화지 위에 써 놓았던 연서까지도

잉크가 채 마르기 전 나는 전철을 타고
동해東海 해가 뜨는 가을날 떠나가리라

햇볕이 따사로운 여름날의 눈빛
그때만을 생각하자
나는 영원히 눈을 감으면 숲의 이슬방울처럼
매일 새벽을 여닫는 안개가 되려니
불타오르던 내 심장은 이미 멎을 것만 같아
이렇게 곤한 밤을 너에게로 달려가고 있다

그때는 뜨거웠고 달콤한 웃음꽃이 만발할 때
벚꽃처럼 화사하고 수줍은 안개꽃같이 청초했다
금요일이면 숨이 멎을 것 같은
솜사탕처럼 달콤한 고백처럼

그 시간만큼 아끼자 그리고
너를 놓아주지 못할 만큼 사랑했음을 노래하리라

야간수업

사흘 동안 잘 먹지도 못한 불면으로
심신이 지쳐있기에 생각했던 대로
달콤한 포도당은 약효도 소용없다
애써 담담하려 노력을 하면서
힘든 시간을 보낸 아픔이 컸다
단팥빵 곰보빵 너구리빵 그리고
홍차가 내 유일한 친구가 되어 있었다
시야는 검게 그을린 선글라스
태양빛은 달콤한 아이스크림 맛이다
혹시, 길을 가다 안동 간고등어가
내 가슴팍에 박히면 그대로 갖고 오려 했다
한적한 버섯찌개 전문점 그것도 노루궁뎅이
출출해서 맛있게 섭취했다
어깨 팔 온몸이 다시 쑤시고 아프다
깊은 잠을 자야 하는데
문자만 공중을 날아다니고 죽어버렸다
변함없이 숨을 거둔 것이다

헐거운 세월

헐겁다
세월의 흔적이 그렇고
톱니바퀴가 헐겁다
지탱해온 인생
마지막 날 소낙비가
내린다면 무척 슬프겠다
잔주름이 그어 놓은 형상
흰 머리카락이 바람에 흩어지니
그도 나도 만족함이 없이
바싹 마른 양지밭
답답한 속은 타오르고
거북한 소식 듣고 싶지 않아서
한 귀를 막아도
흔적 없던 추임새
떠돌던 소리 덜컹거리며
뭇 세월이 아름답다고 말하자
그 형체도
이슬처럼 사라지던 날에

우정과 사랑

술 한 잔에
목을 축이고
넉넉한 가슴 내려놓으면

너도나도 하나가 되어
이슬처럼 사라지는
그날

그대와 우정
색다른 사랑도
떠날 줄 모르고 기다리고 있다

바람처럼 사라지는 날

바람이 어둠을 삼키고 있다
흡족하게 뿌려줄 빗줄기
곧 어둠이 형체도 덮을 것이다
창틈 사이로
그 사람 모습이 아스라이 사라졌다
한낮 목마름을
떨어진 별빛에 비벼
그리움도
고독함도
싱그런 달빛에 타서 마셔버렸다
컥컥 목감기는 아직 떠나지 못한 채
촉수 끝은 커튼 사이에 걸려있고
사각지대 모서리마다
만지작거리던 보석은
잠시 내려놓고 말았다
흔적도 계절 따라 떠나려 한다
사진첩에서 환한 웃음이 뛰쳐나왔다
휴, 미친 듯
살고 싶은 욕망이 가슴까지 올라왔다

별빛 산장에서

커튼 너머로
별빛을 훔치고 있다
그동안 흩어진 시간을
채우기에 속이 까맣다

선풍기 날개가
어깨 위로 덥석 안겨 오고
앙상한 뼈만 매달려 있다
이런 나는 나를 사랑한다
산새 소리가 그치고
밤하늘 모퉁이에서
애처롭게 속삭여 줄 사람
오늘 밤 별빛 산장을 비워놓았다
차마 손끝에 매달린
까만 밤이 서글펐으리
그러나 나는 오늘도 별을 훔쳤고
까마득하게 잊혔던 그때
외로움을 숨 가쁘게 채울 것이다
그래서 별빛 산장에

별 무덤이 쌓이는 날
허공을 떠도는
무수한 별빛을 훔치려 한다
그날처럼

파란조각달

나뭇잎이 후드득 떨어지는 농구장 벤치
녹슨 농구공이 코트에 머물 때
나는 빈 벤치에 다시 앉아보았소
빈 하늘에 새털구름
조각난 여우는 슬피 울고
이름 모를 새소리가 정겹게 들리는 것은
아마 그때를 기억하고 싶었는지도 모르오
더듬거리며 읊어대던 시어
눈시울을 붉히며 시 한 편을 남기고
캠퍼스 커피숍에서 쓴 커피를 마시는
유일한 밀회 나는 그때를 기억하오
구김살 없던 파란하늘 조각달을 보며
눈빛을 마주칠 때
나는 그대의 부드러운 미소를 탐했소
어찌 보면 그대가 나의
터질 것 같은 심장을 꿰매듯
조심스러운 속삭임
아, 그때를 나는 또렷하게 기억하오
지금은 농구장 구석에 박혀있는
빈 벤치엔
공허한 소슬바람 썰렁하게 불고만 있다오

치매癡呆

그날이
현실처럼 다가오면
미래를 탐하던 때
나는 내 모습도 알지 못한다
지금 그대가 내 영혼을 흔들고
몸을 감추었듯
그곳에서 다시 볼 수 있을지

조용히 숨을 까딱거리며
누군가가 나를 알아보지 못할 때
천천히 아주 그날이 올 것이다

좁은 세상은
늘 붐비는 시장 골목에서
지나치듯 눈여겨 찾을 때
가볍게 눈인사만 나눌 것이다

화려한 열기

창틀에 기대어
비틀거리는 소리
흠뻑 취해버린 여름밤이다
삼복三伏날 알싸하게 놀아났다

갈바람 소리에
소스라치게 놀란 한낮
옷깃을 스치는 선선한 하늬바람은
숨을 헐떡이며 창문 너머로 달려왔다

네놈 목숨도 끝낼 수 있건만
내년이면 허리춤에서
붉은 심장 꺼내 본 후
화려한 열기를 뿜을 것이다
처절한 몸부림으로

흩어지는 연기처럼

모든 것
인생의 마지막을
잿빛 안개처럼 흩어지고 사라지고
주홍빛 모닥불처럼
그렇게 나는 당신을 사랑했나 보오
그러나 지금은 우울한 날들로 두통이 심해지고
마른 헛기침으로 삶을 연명하고 있지만
서글픈 위안으로
시를 쓰고 붓을 친구삼아 버티고 있다오

여기서 오래 머물 것 같은 착각
하늘이 맺어준 필연
해 넘어 석양은 흩어진 연기가 기어가듯
나는 당신을 삶의 울타리에 가두고 말았소
그러나 우울한 날이 계속되고 자줏빛 안개꽃은
유리병에 시들어 고갤 떨구면
저 멀리 손가락에 낀 반지도
잿빛 안개처럼 흘러가고 있음을 안다오
운명처럼 천천히 사라지는

테라스의 정원

나는 저녁마다 테라스에 나와
이름 모를 꽃이 심어진 정원을 바라보며
내 이름을 살며시 불러봅니다

내 머릿속에
내 가슴 속 깊이 넣어 두었던
일기장을 꺼내 보며
늘 동경했던 순간을
혼자서 행복한 웃음을 짓습니다

널따란 잔디정원이 딸린
테라스가 있는 유럽형 이층집
동유럽을 여행하며 눈여겨 두었던
그런 집 나는 그런 집에서 살고 있습니다

2층 서재 간결하게 꽂아 놓은 시집
텁텁한 먼지가 덮어진
색바랜 시인의 시집을 꺼내 들고
둔탁해진 책갈피를 넘기면

뭇 시인의 눈빛이 마주치는 듯
나는 작가라는 이름
시인으로 세상을 탐색하고 있습니다

가슴 아픈 사랑

노란 은행잎이 수북하게 쌓인 길목에서
눈빛을 마주한 그녀와 우연히 만났습니다
옷깃을 여미며 가을바람은 외로움에 목말라하던
그 순간 나는 그녀의 눈웃음에 온몸이 파르르 떨고 있었습니다
대학노트 한 권을 들고 있던 그녀의 마음을 훔치고 싶었습니다
동그란 금테 안경을 쓰고 있던 그녀 우수에 잠겨 있었고
그녀의 손바닥이 차갑게 느껴진 순간
그녀의 눈가에 금방 눈시울이 붉어졌습니다
나는 처음 만난 그녀를 와락 안아버렸습니다
가슴팍에 얼굴을 묻은 채 흐느끼는 그녀 무슨 사연이 있었음을
알 수 있었습니다
우린 커피숍에서 다정한 연인처럼
서로를 조금씩 알아가기 시작했습니다
참 마음이 고운 사람이었고 내가 지켜줘야겠다는 마음이 들었습니다
아니, 사랑해야겠다는 마음의 다짐을 했습니다
함박눈이 펑펑 내리던 날 대학 캠퍼스 야외음악당에서 눈을 맞으며
뜨거운 첫 키스를 했습니다
그러나 신은 그녀와의 사랑을 질투하고 있었나 봅니다
봄,여름,가을,겨울이 두 번 바뀌고 비가 내리던 가을 저녁

이름 모를 전화벨이 울리더군요
부재를 할까 망설이다 전화를 받았습니다
"저 누구씨인가요" 다급한 음성 나도 모르게 온몸에 전율이 흘렀고
가슴 쿵쾅거림의 불길한 예감이 머리에 스치던데요. 여기 병원...
그녀는 아무런 말도 없이 저 별나라로 여행을 떠나갔습니다
하늘이 무너지고 세상은 저 암흑처럼 변해버렸습니다
아, 그렇게 내 모든 걸 사랑했던 사람
아낌없이 모든 걸 다 주었던 그녀
가을비는 소리 없이 내리고 처절한 현실을 믿고 싶지 않았습니다
하얀 머리가 될 때까지 함께 살자며 환하게 웃음 짓던 그녀
매일 아침이면
커피향 그윽한 커피를 만들어 주며
시 한 편을 읽어주겠노라 약속했는데
신은 우리 두 사람을 갈라놓고 말았습니다
그러나 산 사람은 그녀를 가슴에 묻고도
수 세월이 지난 지금 세상을 향해 여기까지 와 있습니다

봄,여름,가을,겨울이 다섯 번이나 지난 어느 가을날
노란 은행잎이 쌓인 그곳에 가 보았습니다

사랑스런 눈빛은 마치 그녀가 곁에 서 있는 것 같은 착각을 하며
커피숍으로 발길을 옮겼습니다
둘이 마주보며 앉을 수 있는 작은 탁자
식은 커피잔 위로 눈물이 녹아들고 아린 가슴을 주워 담아야 했습니다
가을바람은 어찌나 서럽게도 차갑게 옷깃을 여미게 하던지 모릅니다
까만 밤이 되면 별빛을 바라보며 묻습니다
잘 있어 응 그래 아프지말자
나는 지금도
내 가슴 속 깊이 사랑했던 그녀를 놓아주지 못하고 있습니다

보청기

나는 오늘 두껍던 갑옷 한 겹 내려놓았다

그동안 소리가 둔탁했고
목소리까지 잊었던 일이 가끔 있었다
수년 전 천근이나 나가던 때
깃털을 달았을 때
세상을 다시 보던 날처럼 가벼웠다
그러나 나는 아직도 무거운 갑옷을
몸 구석구석에 붙여놓고 살아간다
가벼운 깃털을 심는 일이 그리 어려운가
그래 맑은소리를 듣는 오늘이
감정이 새롭게 탄생하는 날이다

그래 그래
저 소리였고 청아하고 정갈한 목소리
입술 모양이 같았음을 알게 되었다

한 여름밤의 열기

모닥불 피워놓고
낭만을 마셔보라
지나가는 세상
그 무엇이 탐나더냐

저 모닥불이 꺼지고
검은 숯이 되었을 때
내 가슴도 검게 타버렸다

세월은 이 뜨겁던 여름날
기타줄에서 튕겨 나오는
노랫가락
한 여름밤을 아프게 한다
그만
모닥불을 멈추게 해다오

간간하다

빗물맛도
세상맛도
엉큼한 욕심맛도
다 간간하다

생각하는 맛도
지난 추억의 맛도
흩어진 세월의 맛도
다 간절하니
짠 맛이 간간하다

여름

질긴 웃음이다
빗줄기를 넘나들며
가슴 속에 비수를 숨겨두었다

허탈한 비애
젖은 외투도 숨을 멈췄다
잠깐, 빗속을 거닐던 가슴이 불타올랐다
여름은 서러움에 목놓아 웃는 거다
볕은 뚝뚝
땀방울로 얼룩져 소스라치게 불던 바람이다
뭇 사내도
바람 따라 스치며 떠난 여름이다
창백하다

갈잎의 노래

갈잎이 떨어지는
외로운 계절이 오면
내 곁을 떠났던 사람이 돌아온다
가슴 시린 가을날
밤하늘 고독한 별빛이
떠났던 사람처럼
내 어깨 위로 살며시 내려앉는다

짝 잃은 갈매기 우짖는 소리
그 소리에 묻힌 채
떠밀려오는 파도 방파제에 폭 안기면
내 곁을 홀연히 떠났던 사람이 온다
왜 그랬을까
가을이면 돌아올 사람
내 삶에 지울 수 없는 그 사람
그러나 흔적도 없이 사라진다 해도
나는 길가에 흐드러지게 핀
들국화를 먼발치에서 바라본다
문득 수줍게 웃음 짓던 그 모습이 닮았다

〈

붉게 물든 잎새가 바람에 흔들거리면
나도 바람 따라 떠나는 것을
이렇게 갈잎이 떨어지는 계절이 오면
가을을 노래하며
내 곁을 떠났던 사람이 돌아온다